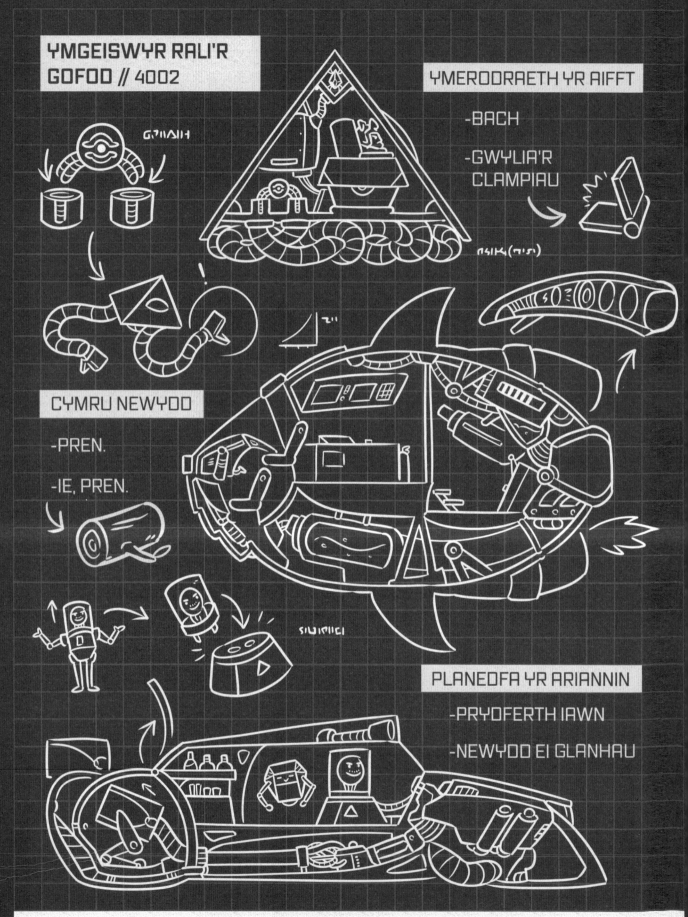

YMGEISWYR RALI'R GOFOD // 4002

YMERODRAETH YR AIFFT

-BACH

-GWYLIA'R CLAMPIAU

CYMRU NEWYDD

-PREN.

-IE, PREN.

PLANEDFA YR ARIANNIN

-PRYDFERTH IAWN

-NEWYDD EI GLANHAU

EIDDO I: Bronwen Jenkins

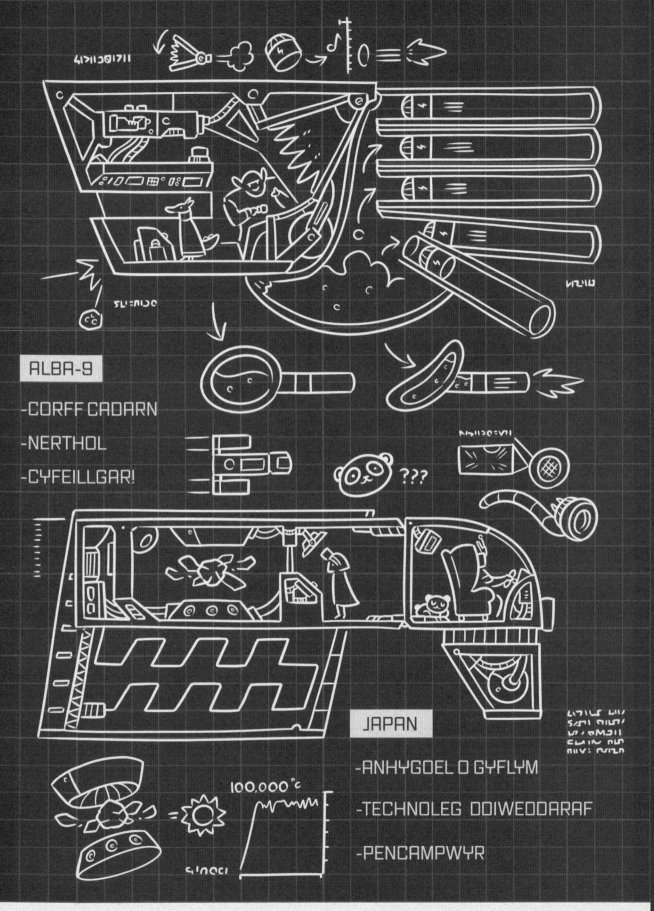

ALBA-9

- CORFF CADARN
- NERTHOL
- CYFEILLGAR!

JAPAN

- ANHYGOEL O GYFLYM
- TECHNOLEG DDIWEDDARAF
- PENCAMPWYR

100,000°c

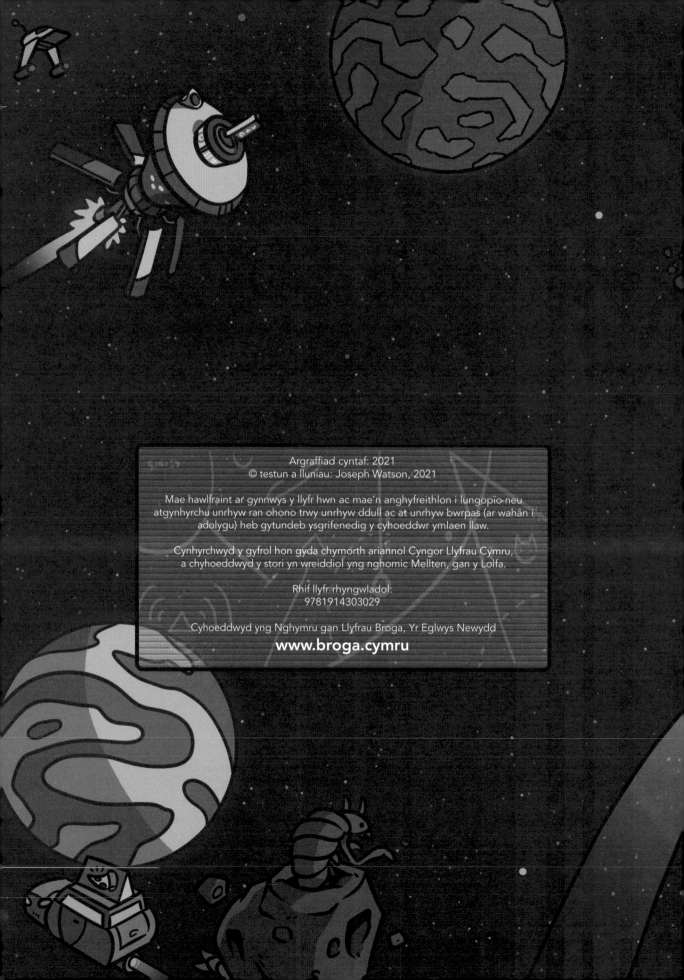

Argraffiad cyntaf: 2021
© testun a lluniau: Joseph Watson, 2021

Cynhyrchwyd y gyfrol hon gyda chymorth ariannol Cyngor Llyfrau Cymru,
a chyhoeddwyd y stori yn wreiddiol yng nghomic Mellten, gan y Lolfa.

Rhif llyfr rhyngwladol:
9781914303029

Cyhoeddwyd yng Nghymru gan Llyfrau Broga, Yr Eglwys Newydd
www.broga.cymru

PALI'R GOFOD
4002

GAN JOE WATSON

CYFIEITHIAD GAN HUW AARON AC ELIDIR JONES

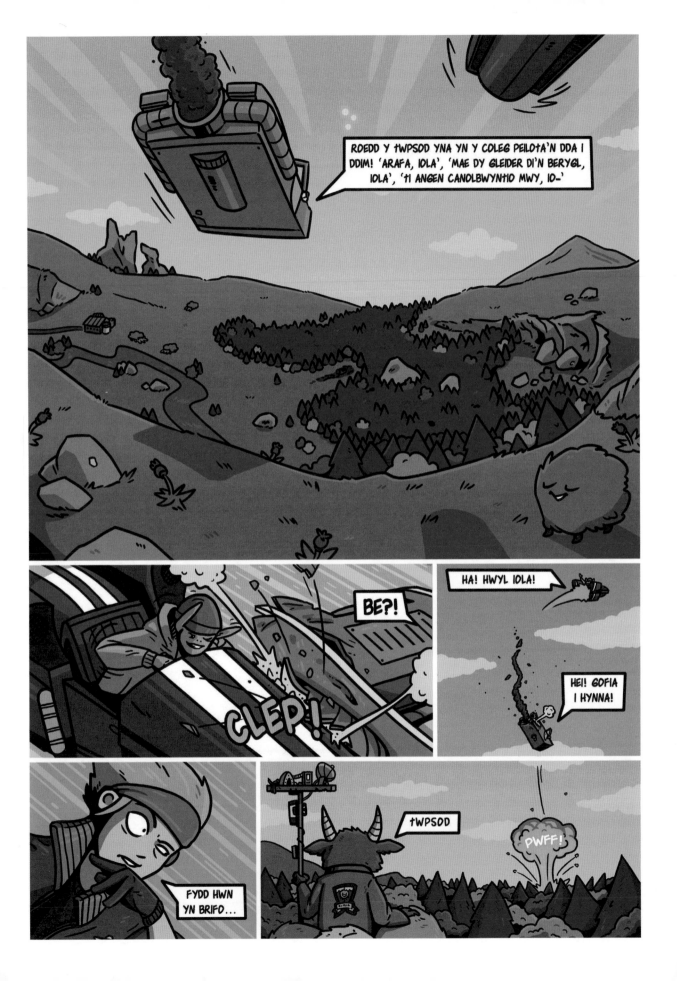

YYYYYY.

BLE YDW I?

MAM FACH, DDIM ETO.

GLANIWCH AR UNWAITH!

O, GWYCH.

RHAID I CHI UFUDDHAU I'R SWYDDOGION—

HEI, SBIA — ALUN YW E!

HEDDLU

HEDDLU

WEL, JIW JIW.

ALUN! ALUN! NI SY MA! ALWYN AC ALAN!

O, HWRÊ. Y DDELIAWD DWP. GRÊT.

FI YW ALUN. FI HOFFI BRECHDAN GWAIR NOM NOM.

HEHEHE!

HEDDLU

HEDDLU

WNAETHON NI GAEL GWARED AR YR ASIANT, SYR. CAFODD EI ADAEL AR RYW BLANED DDIBWYS FE DDYLEN NI ALLU GWEITHREDU YN RHYDD, NAWR.

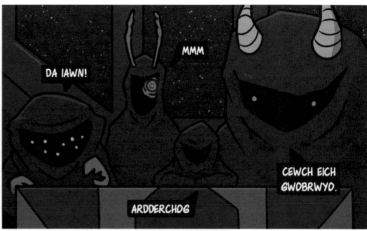

DA IAWN!

MMM

ARDDERCHOG

CEWCH EICH GWOBRWYO.

BETH HOFFWCH CHI I NI WNEUD NESA—

HELÔ, PWYLLGOR! GOBEITHIO NAD YDW I'N TORRI AR DRAWS – OND HOFFWN I SWYDD NEWYDD.

PLIS.

BARWN. RWYT TI WEDI CYRRAEDD.

BETH SYDD O'I LE AR DY SWYDD BRESENNOL?

MAE MOR DDIFLAS. DW I JYST YN AROS YN Y SWYDDFA. MAE'R ROBOTIAID YN GWNEUD POPETH, A FEDRA I DDIM GWNEUD UNRHYW ELW!

DYNA YDY'R PWYNT.

WEL, MAE GEN I'R BROBLEM... AILGYLCHU... YNA.

MAE YNA SWYDD I RYWUN I DRIO GWNEUD ELW O HWNNW.

FEDRA I!

IAWN – BRODYR PROTO, HELPWCH Y BARWN GYDAG UNRHYW BETH SYDD ANGEN.

O NA.

MI WNA I LWYDDO!

DYMA NI! Y ROBO-ARCÊD!

YN HEDFAN I DÎM R6 JAPAN, RONIN YDY'R ROBOT GORAU AR Y FARCHNAD. PRYNU TEKU... PRYNU SAFON.

HEBLAW DY FOD TI WEDI ENNILL Y LOTERI, DOES DIM—

PRYNU TEKU... PRYNU... SAFON

— PWYNT.

DERE, ALUN!

WWWSH

CROESO!

AR LOG

WAW WAW!

CHWILIO AM ROBOTICS ARDDERCHOG? DACH CHI YN Y LLE CYWIR. FI YW TEZU, Y GORAU AR Y BLANED.

ROBO GWYDDONIAETH!

ROBO COGINIO!

ROBO MEDDYGAETH!

ROBO LONCIAN!

... A LLAWER MWY! A GORAU OLL, RO-BO-GYFEILLGARWCH SY'N PARA AM BYTH.

FFRINDIAU TEZU + IOLA

ROBO-GYFEILLGARWCH AM BYTH SY'N COSTIO 70,000,000 O GREDYDAU.

YYYM. OES 'DA CHI RYWBETH AM 20?

HIHI!

BETH NAWR?

PEIDIWCH DOD YN ÔL!

GEN I SYNIAD!

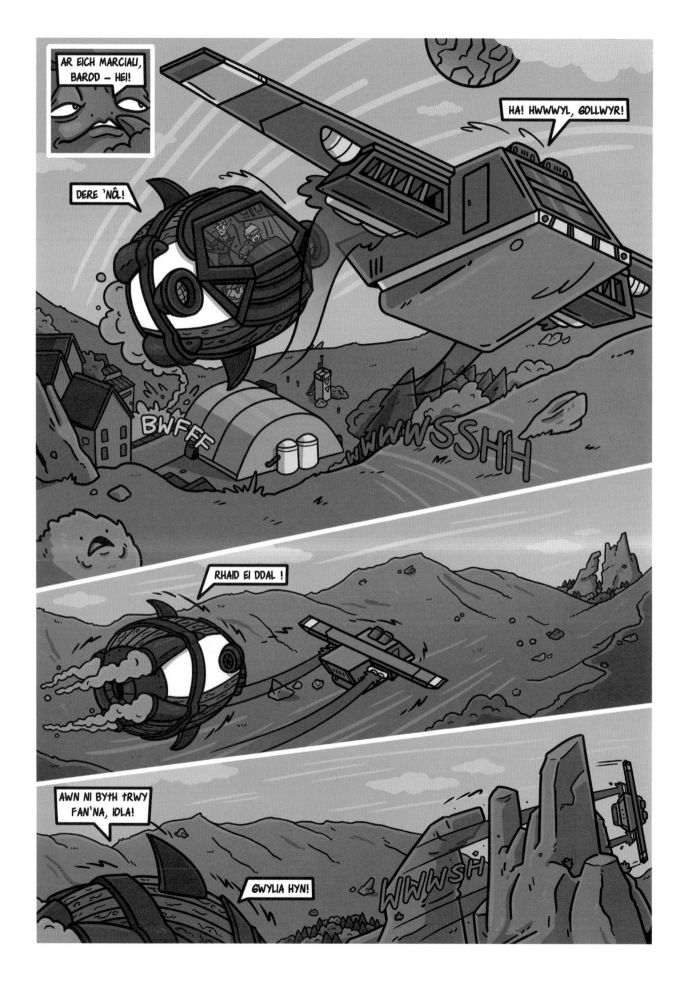

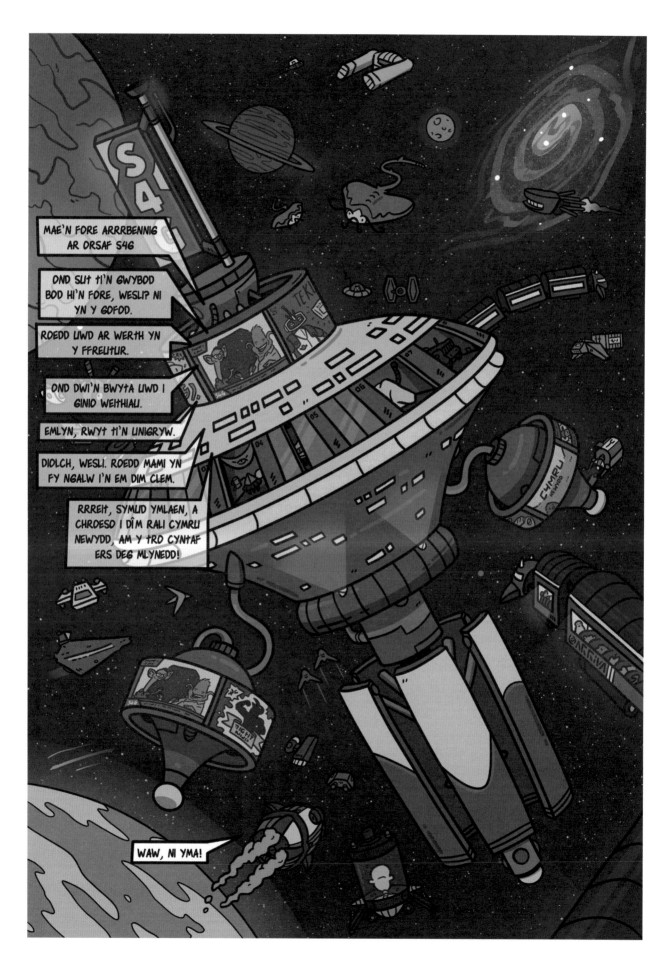

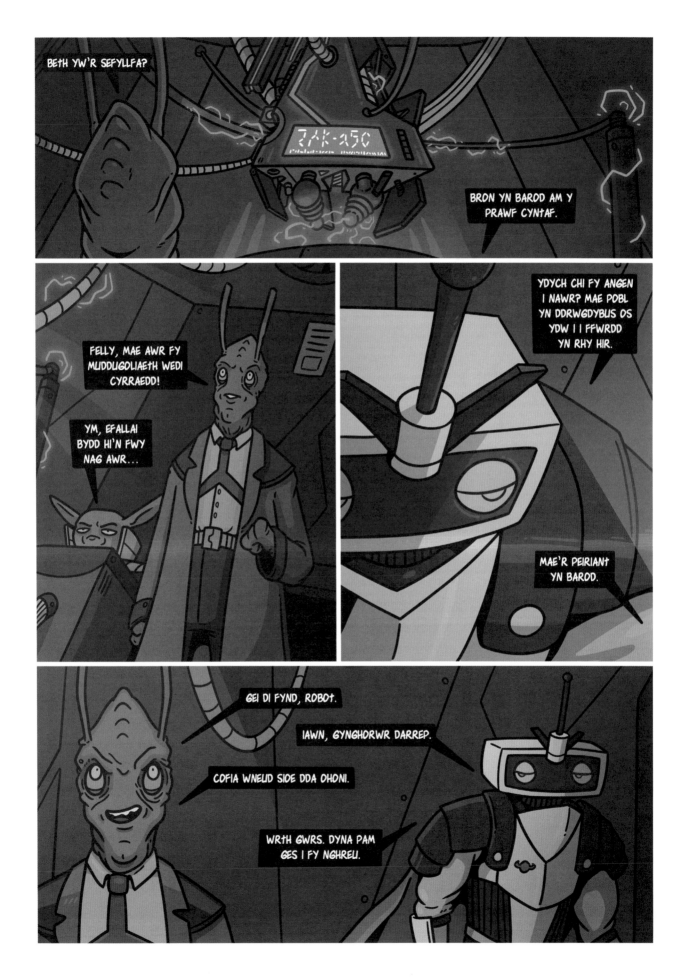

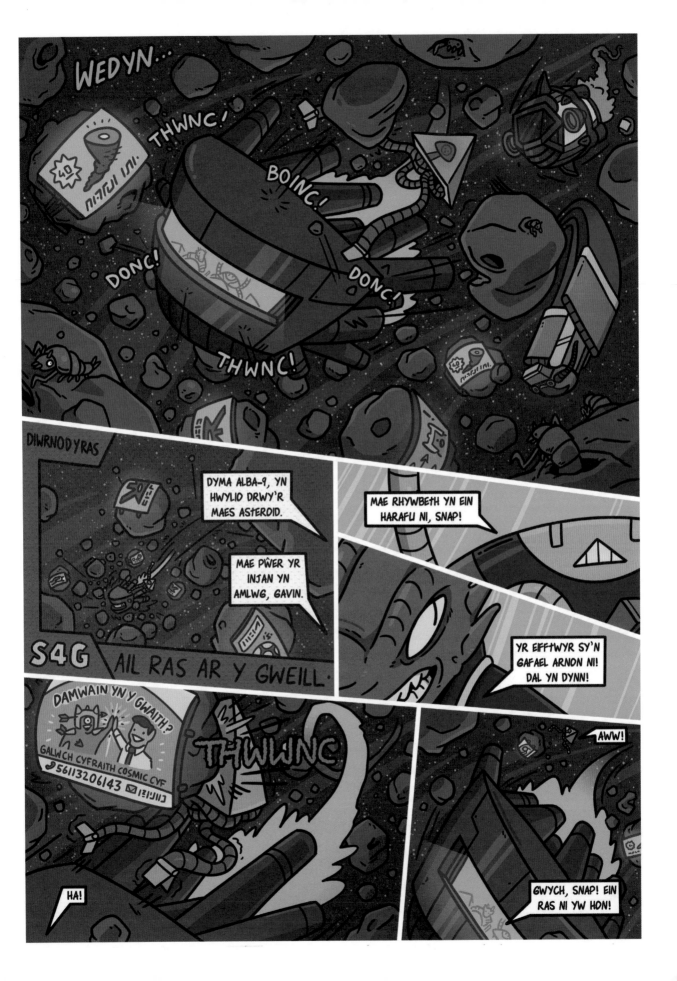

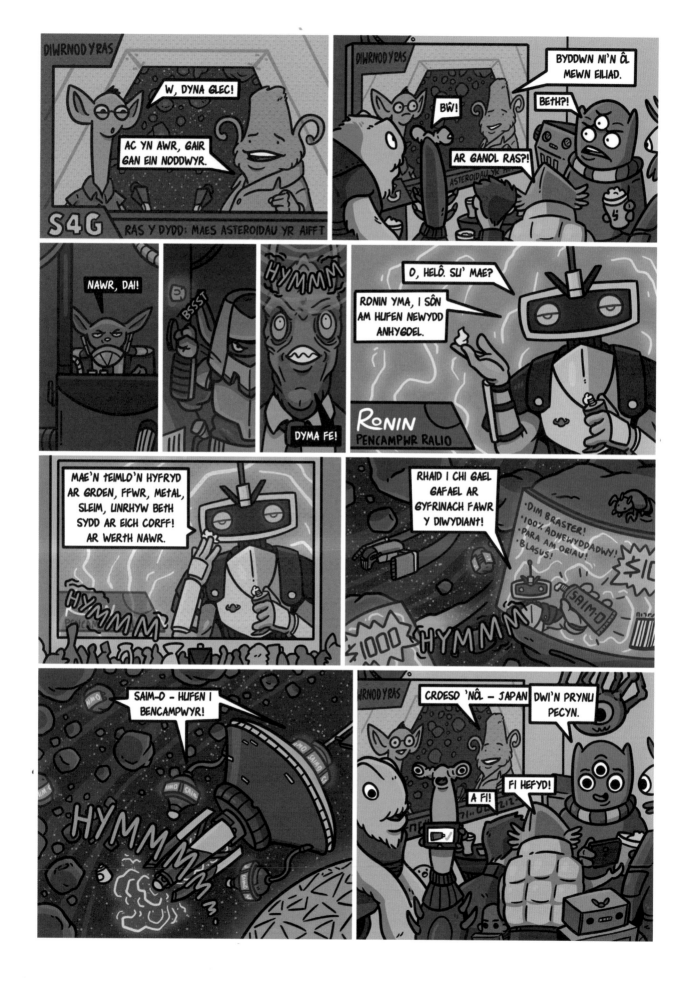

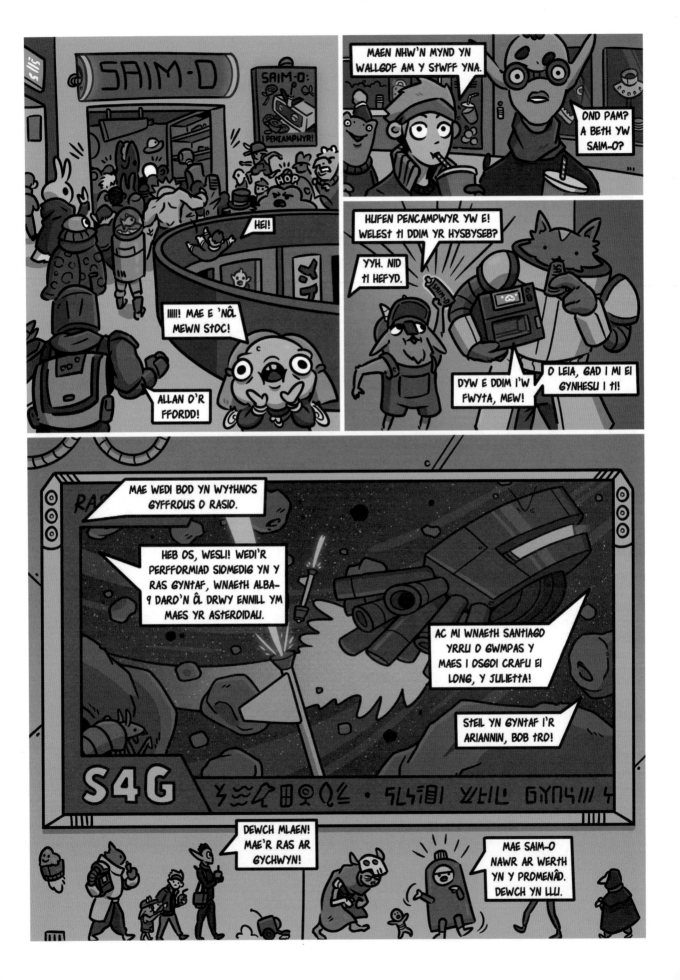

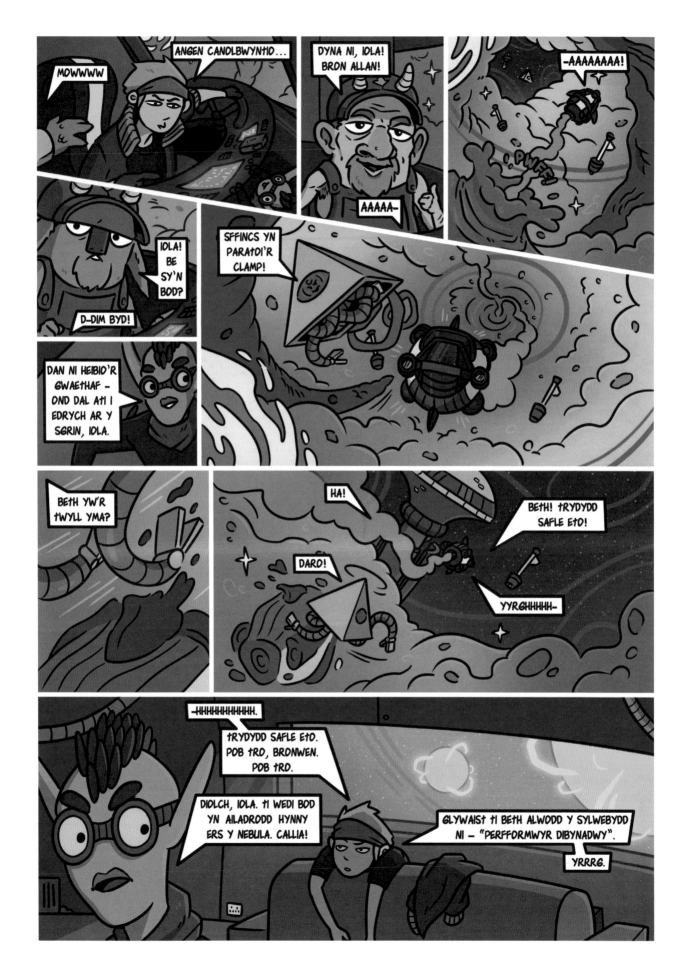

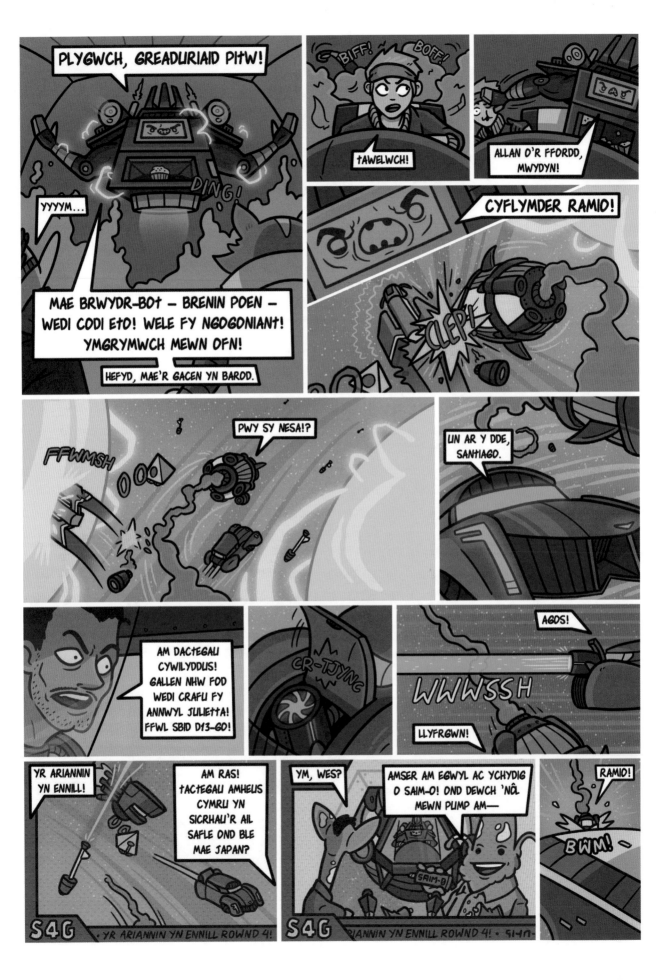

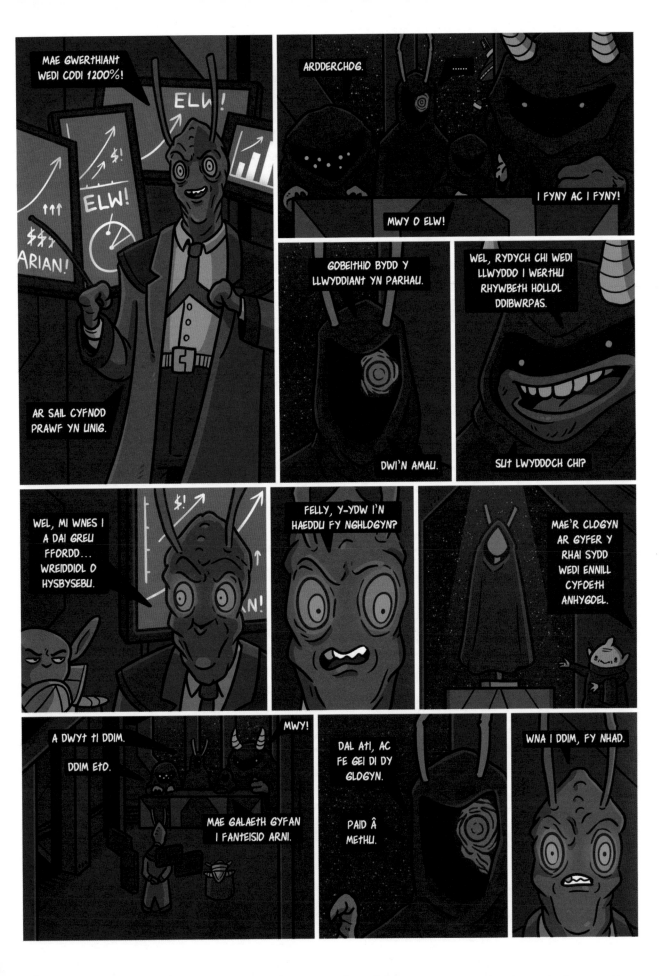

MAE'N CYCHWYN...

YYYYRRRRHHHH... BETH?

FY MREICHIAU! SUT ALLWCH CHI DDWYN DYRNAU DIALGAR BRENIN POEN!

A SUT ALLA I BOBI CWCIS?

TI! PEN-GAFR! DWI EISIAU FY MREICHIAU'N ÔL!

BORE DA I TI HEFYD.

ALUN! SUT MAE'R LLONG OFOD?

YN SOWND O HYD. OND MAE 'NA UN PETH...

ASIANT BLEW O'R C.A.T.H.

RHAID I MI WELD ASIANT PWSPWS AR UNWAITH.

ASIANT PWSPWS? BRONWEN? WYT TI'N ASIANT CUDD?

NAC YDW, WRTH GWRS! PAM Y'CH CHI'N MEDDWL BOD ASIANT PWSPWS YMA?

DWI WEDI BOD YN DILYN TRYWYDD ASIANT PWSPWS.

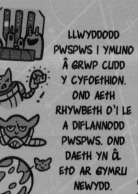

LLWYDDODD PWSPWS I YMUNO Â GRŴP CUDD Y CYFOETHION. OND AETH RHYWBETH O'I LE A DIFLANNODD PWSPWS. OND DAETH YN ÔL ETO AR GYMRU NEWYDD.

AR ÔL MYND YN GAPTEN AR LONG OFOD PREN, A CHASGLU CRIW YNGHYD, SLEIFIODD I GANOL RALI'R GOFOD TRWY DDEFNYDDIO EI SGILIAU PEILOTA GWYCH. MEWN CUDDWISG, ARCHWILIODD ORSAF S46...

... A'N HARWAIN AT BENCADLYS Y CYFOETHION A'U DYFAIS RHEOLI MEDDYLIAU. DYMA PWSPWS WEDYN YN LLWYDDO I DORRI'R CYSYLLTIAD Â'R ORSAF FONITRO, GAN GANIATÁU I MI LANIO, FEL EIN BOD NI'N YMOSOD ARNYN NHW GYDA'N GILYDD!

FELLY, BLE MAE E?

YMM

MEWWWW

SCRIT

SCRAT

WPS! DWI WEDI GWNEUD... CAMGYMERIAD.

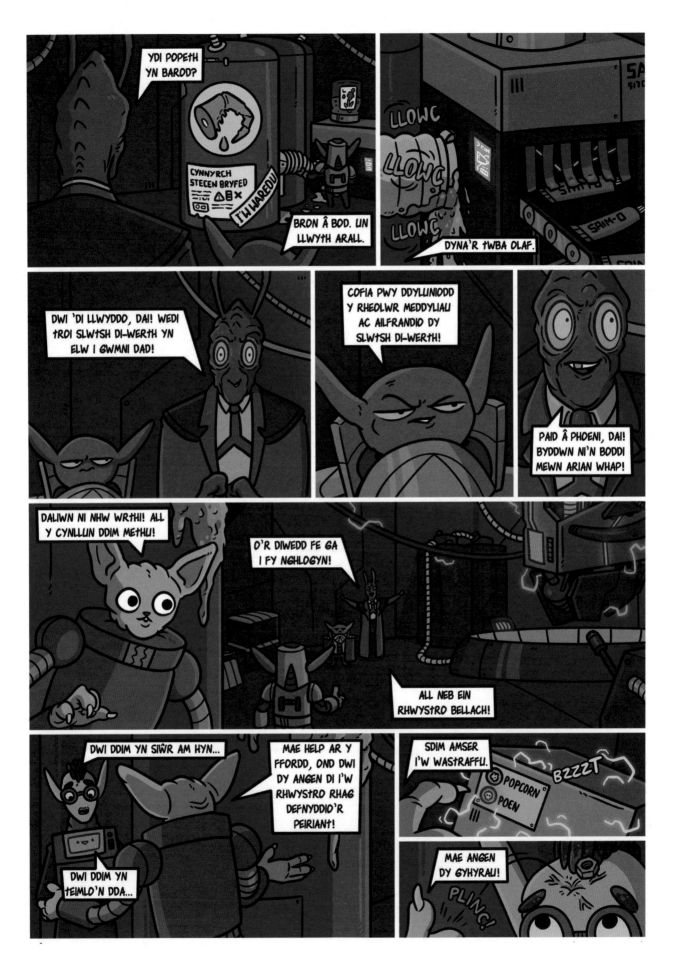

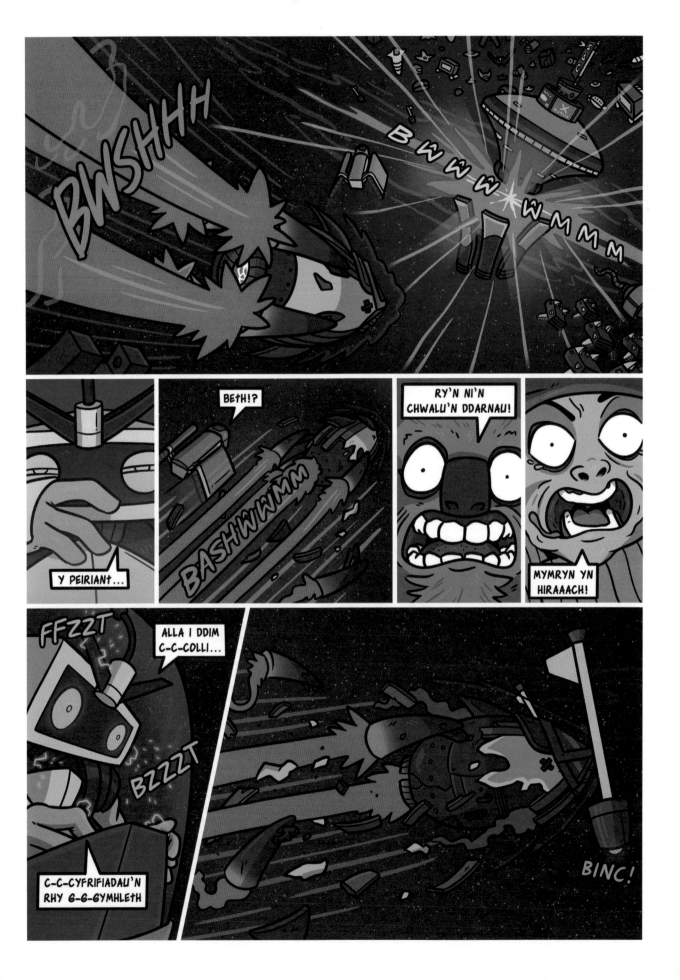

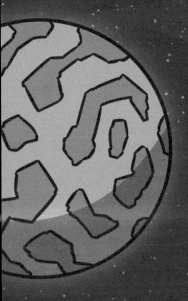

POP

POP

POP

PWY 'DI'R ROBOT YNA?!

GORSAF// S4G
LLOEREN DDIDDANWCH YMDEITHIOL

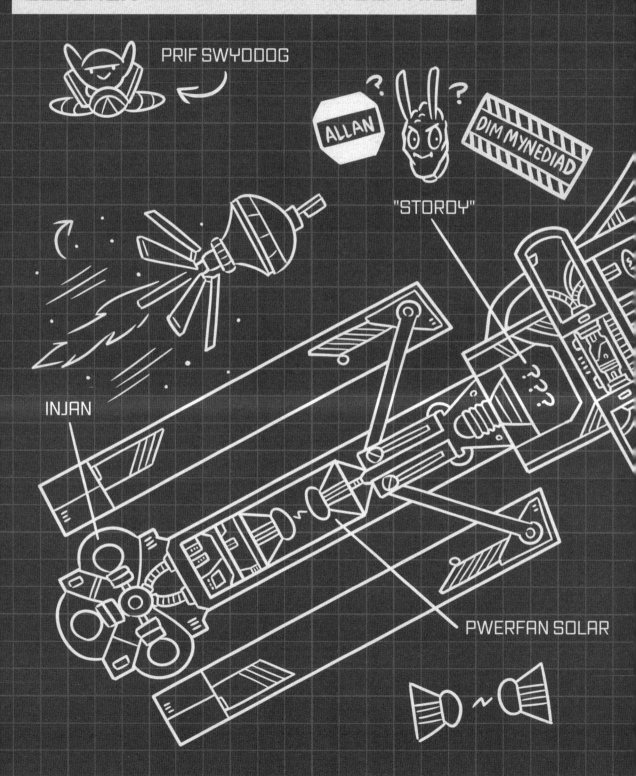

PRIF SWYDDOG

ALLAN

DIM MYNEDIAD

"STORDY"

INJAN

PWERFAN SOLAR

EIDDO I: Bronwen Jenkins

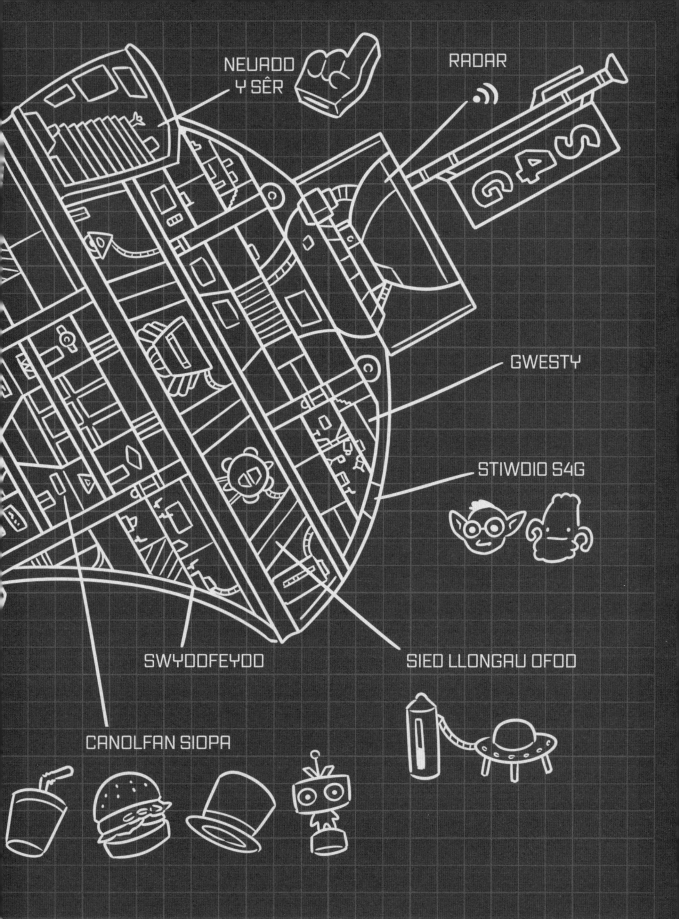

NEUADD
Y SÊR

RADAR

GWESTY

STIWDIO S4C

SWYDDFEYDD

SIED LLONGAU OFOD

CANOLFAN SIOPA

Wedi joio? Beth am ddarllen y comics anhygoel yma gan Llyfrau Broga hefyd!

Gwil Garw a'r Carchar Crisial
gan Huw Aaron

Bwci-bos ffyrnig ... Cewri enfawr ... Coblynnod milain ... Mae Gwil Garw yn wynebu unrhyw broblem gyda'i ddyrnau a jôc.

Ond pan mae Gwil yn rhyddhau gelyn holl-bwerus i'r byd, bydd angen iddo ddefnyddio'i ben – a'i ffrindiau newydd – os oes unrhyw obaith o'i drechu.

Antur, cymeriadau cofiadwy, a digon o hiwmor – y cyfan ar ffurf comic hawdd i'w ddarllen.

Addas i oed 7-12, £6.99.

Yr Allwedd Amser
gan Ben Hillman

Mae Nefyn a Trefor yn darganfod allwedd sy'n agor drysau i lefydd anhygoel, ac yn camu i antur fwyaf eu bywyd. Mae'r bydysawd ac amser ei hun yn y fantol – a Nefyn a Trefor ydi'r arwyr lleiaf addas ar gyfer y dasg!

Ydy'r ffrindiau dewr yn gallu atal y byd rhag cael ei rwygo'n ddarnau? Nofel graffig llawn antur, hiwmor a gwaith celf anhygoel.

Addas i oed 7-12, £6.99.

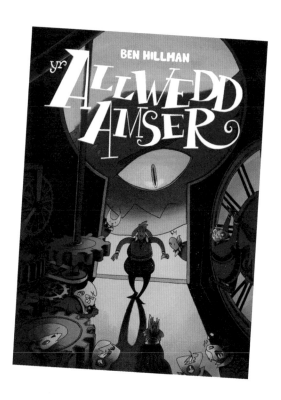

BROGA